Winnie the Pooh

Aprendo con la W y la K

everest
INTERNACIONAL

¡Buenos días, niños y niñas! Les saluda a todos el osito Winnie Pooh.

Vivo en un bosque junto a todos mis amigos. Les enseñaré quiénes son.

Este es un buen amigo.
Es un tigre y le gusta
hacer deporte y remar
en un kayak.

Este es Conejo. A
Conejo lo que más
le gusta es cultivar
tomates, calabazas,
berenjenas, zanahorias
y también kiwis.

Al burrito Igor le gusta
la música. Sueña con
un *walkman* para sus
enormes orejas.

Este es Piglet. Antes
de ir a pescar al
río, siempre compra
golosinas en
el kiosco.

A Búho le gusta leernos cuentos. Su favorito es el cuento del Gallo Kirico.

Rito y su mamá Cangu también son amigos de Winnie Pooh. Les gusta mucho jugar juntos.

Para poder dar saltos altos y estar en forma, Rito y Cangu hacen karate.

Por la mañana, cuando el gallo canta su kikirikí, vamos todos juntos al río a bañarnos y nadar.

Cuando nos bañamos, a Tigger y a Piglet les entusiasma jugar al water-polo.

También nos gusta hacer pastelitos y galletas de kiwi para merendar.

Para hacer unas ricas galletas necesitamos un kilo de harina, medio kilo de azúcar, huevos y kiwis.
Lo batimos todo en un recipiente ¡y listo para meterlo en el horno!

¡*Hum*... qué deliciosas están estas galletas de kiwi! ¡Están de rechupete!

¡Qué bien lo pasamos! Cuando estamos juntos derrochamos kilos y kilos de felicidad.